毎日簡単！　元気レシピ

奥《おく》薗《ぞの》壽《とし》子《こ》の

子どもの朝ごはん

Breakfast
For
Kids

金の星社

おにぎりだけでもいいんです。

親子で一緒に朝ごはん。

ニコニコ笑顔をいっぱい添えて

今日も一日いい日でありますように。

――――――――――――――――――― 奥薗壽子

Breakfast
For
Kids

忙しい朝だからこそ、子どもと一緒に座って朝ごはん、食べませんか？

朝はとにかく忙しい。あれもこれもとバタバタ走っていたりしがち。でもだからこそ、ほっとひと息、子どもと一緒に座ってごはん、食べませんか？　短い時間でいいんです。おたがいに顔を見て、話をして、一緒に食卓につく時間。何を食べるかより、この時間こそがごちそうだと私は思うのです。

おにぎりだけ、パンだけ、スープだけの“ばっかり食べ”のすすめ

子どもって、基本的に“ばっかり食べ”。あれもこれもおかずがたくさんあると、かえって食べにくい気がするんです。そこでおすすめなのが、それひとつで、主食もおかずも一緒にしてしまった朝ごはん。おにぎりだけ、パンだけ、スープだけでいいんです。これだと、とっても食べやすく、作るのだって、後片付けだってラクチン。その分ニコニコ笑顔が増えるといいな。

CONTENTS

part 1

ストレスなしの手づかみ朝ごはん

8 具いっぱいおにぎりで決まり!
10 たらこにんじんおにぎり
11 大根葉&じゃこおにぎり
12 なすみそおにぎり
13 しそみそおにぎり
14 ピザ風焼きおにぎり
15 おかかチーズ焼きおにぎり
16 梅じそおにぎり
17 干物おにぎり
18 ツナ高菜炒めおにぎり
19 じゃこごま酢飯おにぎり
20 じゃこわかめゆかりおにぎり
21 ごまきな粉おにぎり
22 じゃこの甘辛おにぎり
23 のりおかか佃煮おにぎり
24 サラダ巻きおにぎり
25 薄焼き卵巻きおにぎり
26 から揚げにぎり
27 天ぷらにぎり
28 ソーセージにぎり
29 2色きゅうりにぎり
30 鮭サンドおにぎり
31 納豆サンドおにぎり
32 にら玉おやき
33 じゃがいものおやき
34 のっけて、はさんで、パン!
35 トーストのベーコンエッグのせ
36 じゃこマヨトースト
37 納豆オムレツドッグ
38 フレンチトースト

super かーんたん cup-soup
10 豆腐わかめみそ汁
14 かぶのミルクみそスープ
18 きのこのかきたまスープ
22 切り干し大根のみそ汁
26 じゃこ梅とろろ汁
30 おふとトマトのスープ

手づかみちょこっと vegetable
12 ひと塩きゅうり
16 かぶのディップ
20 手づかみキャベツ
24 きゅうりとチーズののり巻き
28 とろろポン酢大根
32 ゆかり大根

39　ツナマヨドッグ
40　クロックムッシュ
41　にんじんきんぴらトースト
42　トマトオムレツドッグ
43　はちみつバナナトースト
44　朝ごはん、これでもいいよ!
45　あると便利なお役立ち食品
46　「大変、寝坊しちゃった!」
そんなときの朝ごはんは……?

バランスアップドリンク!
37　オレンジヨーグルト
39　トマトヨーグルトスープ
41　バナナジュース
43　豆乳ココア

part 2

これっきり! ワンボウルの朝ごはん

48　スープと主食でワンボウル!
かぼちゃ入りみそすいとん
49　青菜入りかき玉うどん
50　レタスとじゃこのさっぱりおじや
51　マカロニ入りトマトスープ
52　さつまいものミルクがゆ
53　和風ツナカレーリゾット
54　トマトと卵の春雨スープ
55　中華風コーンがゆ
56　超簡単スピード冷や汁
57　さっぱりサラダそうめん
58　おかずとごはんでワンボウル!
もやし炒めと目玉焼きごはん
59　かぼちゃのホワイトソースごはん
60　栄養たっぷり納豆混ぜ混ぜごはん
61　中華風あんかけごはん
62　鮭とかいわれのチャーハン
63　お手軽ひじきごはんゆかり風味
64　作りおきできる野菜のおかず
66　朝ごはんは、なぜ大切?

CONTENTS

part 3

混ぜて焼くだけの朝ごはん

68　パンケーキ＆お好み焼き　シンプル バランスで簡単！ おいしい！
69　パンケーキ　シンプル バランス
70　お好み焼き　シンプル バランス
71　にんじんパンケーキ
72　バナナのスイートパンケーキ
73　ホクホクかぼちゃのパンケーキ
74　きな粉と豆乳のパンケーキ
75　キャベツとベーコンのお好み焼き
76　油揚げとにらのお好み焼き
77　納豆チーズお好み焼き
78　チンゲン菜とじゃこのお好み焼き

part 4

お休みの日のゆったりブランチ

80　一緒にこねこね　大好き！ 手作りピザ
82　何でも入れてカラフルに　ホットプレートチャーハン
84　どれにしようかな？　お好みトッピングマフィン
86　つけて、のっけて　セルフサービスサンド
88　えっ、ホットプレートでパスタ!?　すりおろしトマトのナポリタン
90　いろんな食べ方楽しもう！　焼きそばバリエーション

92　ズバリ答えます！ 朝ごはんの悩みQ&A

Breakfast For Kids

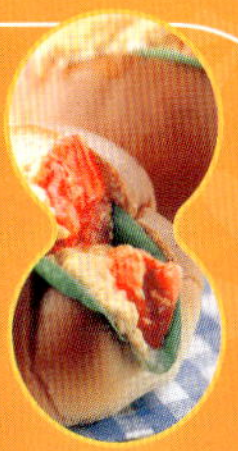

part 1

ストレスなしの手づかみ朝ごはん

できたての朝ごはんを親の手から子どもの手へ。手から手へ伝わる温かさ。うまくおはしが使えなくったってへっちゃら。少しくらいこぼしたって、平気平気。ニコニコ笑顔をいっぱい詰めて、ぬくもりも丸ごといただきま〜す!!

part1

※分量は特に指定のない場合、大人1人と子ども1人の2人分です。

具いっぱいおにぎりで決まり!

ごはんさえあれば、すぐできるおにぎり。
手のぬくもりをそのまま手渡し。
手から手へ、手から口へ。いちばん簡単で
いちばんやさしい気持ちになれる朝ごはん。

基本のおにぎりの作り方

1 ごはんの量を決める

2 具を入れる

3 手をぬらす

4 塩をつける

5 手でにぎる

ごはんの量の目安は、おにぎり1個が子どものお茶わん軽く1杯。
真ん中をくぼませて具を入れたら、水でぬらして塩をつけた手でにぎります。

にぎり寿司風おにぎりの作り方

1 俵形ににぎる

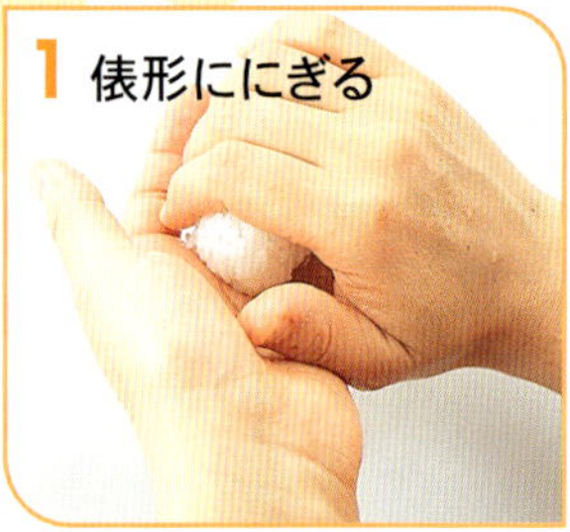

2 具をのりで巻く

具をのせるにぎりタイプの場合、お茶わん1杯のごはんで、ひと口大の俵形のおにぎりを2個くらい作ります。
ウインナーソーセージなどの具をのせ、のりでくるっと巻けばできあがり!

●サンドおにぎりの作り方

のりにごはんと具をのせます。具は、まわりにごはんが見える部分を残しつつ、平らに広げるのがポイント。半分に折りたたみ、手で押してごはんの部分をくっつけるようになじませます。
そのままの大きさで食べてもかまいませんが、大きいようなら、ぬらした包丁で半分にカットします。斜めにカットしてもOK。

1 のりにごはんと具をのせる

2 半分に折る

3 手で押す

4 ぬらした包丁で切る

あると便利な重宝食材

中に入れたり、ごはんに混ぜたり、まわりに巻いたり……。こんな食材を常備しておけば、おにぎりのバリエーションはいろいろ。

かつお節
しょうゆをまぶしたり、梅と混ぜたり。

ゆかり
ごはんに混ぜると色がきれい。

ごま
香ばしい香りがアクセントに。

のり
切り方や巻き方も工夫して。

梅干し
種は除いて使うほうが食べやすい。

とろろ昆布
おにぎりのまわりにまぶすとおいしい。

ちりめんじゃこ
ほどよい塩気がおにぎり向き。

具いっぱいで決まり!

たらこにんじん おにぎり

**にんじんとたらこがドッキング。
にんじんのせん切りは、せん切り用のスライサーを使えば、
簡単で早くできて、しかも口当たりがやわらかです。**

材料（作りやすい量）

ごま油…大さじ1　にんじん…小1本

たらこ…1腹　ごはん…適宜　のり…適宜

作り方

1 にんじんはスライサーでせん切りにし、ごま油を入れたフライパンでさっと炒め、ふたをして蒸し焼きにする。

2 たらこは粗く刻んでおく。

3 にんじんがやわらかくなったら、2を加えて一気に混ぜる。

4 3を芯にしておにぎりを作り、のりで巻く。

super かーんたん cup-soup

材料　豆腐…$\frac{1}{4}$丁　カットわかめ…ひとつまみ　かつお節…ひとつかみ（5～10g）
水…1$\frac{1}{2}$カップ　みそ…大さじ1～2

作り方　1 鍋に水とカットわかめ、食べやすく切った豆腐を入れて火にかける。

2 沸騰したらみそを溶き入れ、最後にかつお節を入れて火を止める。

大根葉＆じゃこおにぎり

大根の葉を細かく切ってさっと炒めただけなのに、
カルシウムたっぷりでこのおいしさ。
大人にも根強い人気のおにぎりです。

豆腐わかめみそ汁

材料

大根の葉…適宜　　じゃこ…30g
ごま…大さじ1～2　　ごま油…大さじ1
ごはん…茶わん1～2杯　　のり…適宜

作り方

1 大根の葉は細かく刻んでおく。
2 フライパンにごま油を入れて熱し、大根の葉を炒める。
3 大根の葉がしなっとなったら、じゃことごまを加えて混ぜる。
4 ごはんに3を混ぜ込んでおにぎりを作り、のりで巻く。

具いっぱいで
決まり！

なすみそおにぎり

甘いみそ味のなすは、子どもの大好きな味。
なすはあらかじめ薄く切っておくと、
とろとろになってみそとなじみやすいですね。

材料（作りやすい量）

なす…2本　　みそ、はちみつ…各大さじ2
ごま油…大さじ1　　ごはん…適宜
のり…適宜

作り方

1 なすは薄い半月切りにし、塩水につけてアクを抜く。
2 フライパンにごま油を熱してなすをさっと炒め、ふたをして蒸し焼きにする。
3 なすがしなっとなったら、みそとはちみつを加えて混ぜる。
4 3を芯にしておにぎりを作り、のりで巻く。

手づかみちょこっとvegetable

材料　きゅうり…適宜　塩…適宜

作り方　きゅうりはスティック状に切り、塩をふってしばらくおく。

*きゅうりはすぐに塩がなじむので、長くおかなくてもほどよい塩味がつきます。
*前の晩に、やや多めに塩をふって冷蔵庫に入れておけば、朝には浅漬け風きゅうりに。

しそみそおにぎり

**しそに甘みそを巻くのがめんどうな感じはしますが、
焼けたしそのおいしさと食べやすさを考えると、
こんな形もありかなと思うのです。**

材料（作りやすい量）

青じそ…10枚

みそ、はちみつ…各大さじ4

すりごま…大さじ2　　ごま油…大さじ1

ごはん…適量　　のり…適宜

作り方

1 みそ、はちみつ、ごまを混ぜ合わせる。

2 青じその上に1を塗ってくるりと巻く。

3 フライパンにごま油を入れて、2を転がしながら焼く。

4 俵形のおにぎりに3をのせてのりでくるりと巻く。

＊おにぎりの芯にしてもOK。

具いっぱいで決まり!

ピザ風焼きおにぎり

焼きおにぎりにケチャップを塗ってチーズをのせれば、
はい！　おにぎりピザのできあがり。
中にもチーズを入れておけば、さらにおいしさアップ!!

材料

ピーマン、ベーコン…各適宜
ケチャップ…適宜
ピザ用チーズ…適宜
ごはん…茶わん1〜2杯

作り方

1 おにぎりを作り、オーブントースターで焼く。
2 ピーマンは薄い輪切り、ベーコンは細切りにする。
3 おにぎりの表面がカリッとなったら、おにぎりにケチャップを塗って、チーズと2をのせる。
4 再びオーブントースターに入れ、チーズが溶けるまで焼く。

super かーんたん cup-soup

材料　かぶ…1個　ベーコン…1枚　昆布（1c
×10cm）…1枚　水…1カップ　牛乳…$\frac{1}{2}$カップ
みそ…大さじ1　バター…大さじ1

作り方　1 かぶは白い部分を薄切りに、葉を
く切りにする。　2 鍋にバターと1cm幅に切っ
ベーコンを入れて炒め、水、細く切った昆布、
ぶの白い部分を加え、ふたをして煮る。　3
ぶがやわらかくなったら牛乳とかぶの葉を加え
みそを溶き入れてひと煮する。

おかかチーズ焼きおにぎり

しょうゆ味のかつお節とチーズ。
一見、ミスマッチな組み合わせですが、
一度食べると、やみつきになること間違いなし。

かぶのミルクみそスープ

材料

かつお節、しょうゆ…各適宜
溶けるチーズ…$\frac{1}{2}$枚
ごはん…茶わん1～2杯

作り方

1 かつお節にしょうゆをまぶしておにぎりにのせ、溶けるチーズをのせる。
2 オーブントースターでチーズが溶けるまで焼く。

具いっぱいで決まり!

梅じそおにぎり

刻んだ梅干しとしそのせん切りを入れておにぎりにしました。
小さくにぎれば、ひと口でパクリ。
おなかに合わせて食べられます。

材料
梅干し…小1個
青じそ…2～3枚
ごはん…茶わん1～2杯

作り方
1 梅干しは種をとって刻む。青じそはせん切りにして水にさっとつけ、水気をしぼる。
2 ごはんに梅干しと青じそを混ぜ込んで、おにぎりにする。

手づかみちょこっとvegetable

材料　かぶ…適宜
みそ、マヨネーズ…各適宜

作り方　かぶは葉を落として食べやすくくし形切りにする。みそとマヨネーズを混ぜたディップなどをつけて食べる。

干物おにぎり

**干物も身をほぐしてごはんに混ぜてあげれば、
食べやすいですね。
塩分は干物の塩分だけで充分です。**

材料（作りやすい量）

あじの干物…1枚　　白ごま…適宜
ごはん…適宜　　のり…適宜

作り方

1 あじの干物は焼いて身をほぐす。
2 ごはんに1とごまを混ぜ込んで、おにぎりにして、のりを巻く。

具いっぱいで決まり!

ツナ高菜炒めおにぎり

ツナと漬け物を炒める!?
いやいや、これがなかなか子どもたちに人気なんです。
辛いのが大丈夫な子には、からし高菜でもおいしいですよ。

材料(作りやすい量)

ツナ缶…小1缶　　高菜漬け…適宜

ごはん…適宜　　のり…適宜

作り方

1 高菜はみじん切りにする。

2 フライパンにツナ缶を油ごと入れて炒め、高菜も加えて炒める。

3 2を芯にしておにぎりを作り、のりで巻く。

＊高菜漬けのかわりに野沢菜漬けで作ると、緑色がきれい。

＊ごはんに混ぜ込んでもOK。

super かーんたん cup-soup

材料　えのき…$\frac{1}{2}$袋　卵…1個　カットわかめ…ひとつまみ　水…1$\frac{1}{2}$カップ　かつお節…ひとつかみ(5～10g)　塩、しょうゆ…各適宜

作り方　1 鍋に水とカットわかめを入れて火にかけ、煮立ったら食べやすい長さに切ったえのきを入れる。　2 再び煮立ったら塩、しょうゆで味を調え、かつお節を加える。　3 最後に溶き卵を回し入れる。

じゃこごま酢飯おにぎり

**じゃこを酢にひたしておくだけで、
やわらかくなって食べやすくなるんです。
わざわざすし飯を作らなくても、さっぱりしておいしい!!**

材料

ちりめんじゃこ…大さじ1
酢…大さじ$\frac{1}{2}$〜1
ごま…適宜
ごはん…茶わん1〜2杯

作り方

1 じゃこに酢をかけて5分ほどおく。
2 ごはんに1とごまを混ぜ込んで、おにぎりにする。
＊好みでゆかりを足して混ぜてもおいしい。

具いっぱいで決まり!

じゃこわかめゆかりおにぎり

ごはんが炊きたてなら、カットわかめを戻さず入れてもOKです。
子どもの好きなゆかり味で食が進みます。
白ごまを加えてもおいしい。

材料

カットわかめ…ひとつまみ
水…大さじ1〜2
ちりめんじゃこ、ゆかり…各適宜
ごはん…茶わん1〜2杯

作り方

1 ボウルにカットわかめと水を入れて5分ほどおく。
2 わかめが戻ったら軽く水気をしぼり、ごはんを入れて軽く混ぜる。
3 じゃこ、ゆかりも混ぜ込んで、おにぎりにする。

手づかみちょこっとvegetable

材料　キャベツ…適宜
塩、マヨネーズ…好みで

作り方　キャベツは手で食べやすい大きさにちぎる。好みで塩やマヨネーズをつけて食べる。

ごまきな粉おにぎり

**おはぎみたいなおにぎり。おやつっぽい感じがするけれど、
植物性たんぱく質たっぷりのきな粉に
ごまもプラスしてあるから、栄養的にはばっちりでしょ?**

材料

きな粉…大さじ2
黒すりごま…大さじ1
砂糖、塩…好みで各少々
ごはん…茶わん1～2杯

作り方

1 小さめのボール形のおにぎりを作る。
2 きな粉、すりごま、砂糖、塩をお皿に混ぜ合わせておく。
3 おにぎりを2のお皿に入れて転がし、表面にごまきな粉をまぶす。

具いっぱいで決まり!

じゃこの甘辛おにぎり

**じゃこの甘辛煮が家庭で作れる!? はい、それもたった3分で。
でも、市販されているものに全然負けないおいしさです。
毎日たっぷりどうぞ。**

材料(作りやすい量)
ちりめんじゃこ…30g
しょうゆ、はちみつ…各大さじ1
ごま…適宜
ごはん…適宜

作り方
1 フライパンにしょうゆとはちみつを入れて火にかけ、煮立ってきたらじゃこを入れてからめる。
2 最後にごまを加えてひと混ぜする。
3 2を芯にしておにぎりを作る。

super かーんたん cup-soup

材料　切り干し大根…20g　水…2カップ　かつお節…ひとつかみ(5〜10g)　みそ…大さじ1〜2

作り方　1 切り干し大根は、さっと洗ってキッチンばさみで切り、水とともに鍋に入れて、ふたをして煮る。
2 切り干し大根がやわらかくなったらみそを溶き入れ、かつお節を加える。

のりおかか佃煮おにぎり

中途半端にしけったのりがあったら、ぜひ作ってください。
のりはオーブントースターでさっとあぶってからもむと、
さらに香ばしくておいしい。

材料（作りやすい量）

焼きのり…全形1～2枚
しょうゆ、みりん…各大さじ2
かつお節…適宜
ごはん…適宜

作り方

1 焼きのりは手で細かくちぎって、しょうゆ、みりんとともにフライパンに入れる。
2 ふたをして火にかけ、全体がしなっとしたら、かつお節を加えて混ぜ合わせる。
3 2を芯にしておにぎりを作る。

具いっぱいで決まり！

サラダ巻きおにぎり

**生野菜でごはんと一緒におかずも巻いてパクリ。
マヨネーズも合うので、好みでしぼり出して。
ハムやチーズ以外に、ツナマヨネーズもいいですよ。**

材料

サラダ菜…3〜4枚
好みの具…適宜
（きゅうり、ツナ、ハム、チーズなど）
マヨネーズ…適宜　　ごはん…茶わん1〜2杯

作り方

1 小さめのおにぎりを3〜4個作る。
2 きゅうり、ハム、チーズなどは食べやすく切る。
3 サラダ菜に1、2、マヨネーズをのせ、巻いて食べる。

手づかみちょこっとvegetable

材料　きゅうり、プロセスチーズ…各適宜
のり…少々

作り方　きゅうりとチーズはスティック状に切り、細長く切ったのりで巻く。

薄焼き卵巻きおにぎり

のりのかわりに薄焼き卵を巻いてみました。
薄焼き卵を作るのが難しければ、少々厚くなってもOK。
中は混ぜごはんにしたり好みの具を入れて。

きゅうりとチーズののり巻き

材料

卵…1個　　サラダ油…少々
ゆかり…適宜　　ごはん…茶わん1～2杯
紅しょうが…少々

作り方

1 油をひいたフライパンに溶き卵を少しずつ入れ、薄焼き卵を1～2枚作って、適当な大きさに切る。
2 ゆかりを混ぜ込んだごはんで、小さめの俵形のおにぎりを作る。
3 2のおにぎりを1の薄焼き卵で包み、紅しょうがのみじん切りをのせる。

具いっぱいで決まり!

から揚げにぎり

**前日に残ったから揚げも、のりでごはんと一緒に巻けば、
ほらね、子どもたちも大喜びのおにぎりに大変身。
ひと口サイズがうれしい。**

材料

鶏のから揚げ…2～3個
ごはん…茶わん1～2杯
のり…適宜

作り方

1 小さめの俵形のおにぎりを3～4個作る。
2 から揚げは大きければ食べやすい大きさに切る。
3 おにぎりに2をのせて、細長く切ったのりで巻く。

super か～んたん cup-soup

材料　ちりめんじゃこ、とろろ昆布…各適宜 梅干し…1～2個 熱湯…$1\frac{1}{2}$～2カップ しょうゆ…適宜

作り方　すべての材料を器に分け入れ、お湯を注げばできあがり。

*じゃこ、梅干しから塩分が出るので、しょうゆは味を見てから少なめに加えましょう

天ぷらにぎり

**天むすみたいに天ぷらをおにぎりの中に入れるのは難しいから、
上にのせてのりでとめてみました。
めんつゆをちょっとかけて。**

じゃこ梅とろろ汁

材料

天ぷら…3～4個
ごはん…茶わん1～2杯
のり…適宜
めんつゆ…適宜

作り方

1 小さめの俵形のおにぎりを3～4個作る。
2 天ぷらは大きければ食べやすい大きさに切る。
3 おにぎりに2をのせて、細長く切ったのりで巻き、天ぷらにめんつゆを塗る。

具いっぱいで決まり!

ソーセージにぎり

フライパンで焼いたソーセージは
のりでごはんとドッキング。
2～3口で食べられるくらい、小さくにぎるのがコツです。

材料
ソーセージ…3～4本
サラダ油…少々
ごはん…茶わん1～2杯
のり…適宜

作り方
1 小さめの俵形のおにぎりを3～4個作る。
2 油をひいたフライパンでソーセージを焼く。
3 おにぎりに2をのせて、細長く切ったのりで巻く。

手づかみちょこっとvegetable

材料　大根…適宜　とろろ昆布…適宜　ポン酢しょうゆ…少々

作り方　大根は細長い乱切りにし、とろろ昆布を巻きつける。ポン酢しょうゆをたらしてできあがり。

2色きゅうりにぎり

**きゅうりをごはんにのせるのもいけますよ。
みそと梅肉と、二つの味をのせると楽しいですね。
朝から何気なく野菜を食べられるのもうれしいところ。**

とろろポン酢大根

材料

きゅうり…$\frac{1}{2}$本
みそ、練り梅…各少々
ごはん…茶わん1～2杯
のり…適宜

作り方

1 きゅうりは長さを半分にして、縦半分に切る。
2 小さめの俵形のおにぎりを3～4個作る。
3 おにぎりに1の切り口を上にしてのせ、細長く切ったのりで巻く。
4 きゅうりの片方の端にみそを、もう片方の端に練り梅をのせる。

具いっぱいで決まり!

鮭サンドおにぎり

安売りの甘塩鮭を焼いてビニール袋の中でたたく。
たったこれだけのことで、
市販の鮭フレークよりもずっとおいしくできるんです。

材料

甘塩鮭…1切れ

ごはん…茶わん1～2杯

のり…全形1枚

作り方

1 鮭は焼いて、身をほぐしておく。

2 半分に切ったのりの上に、それぞれごはんを薄く広げる。

3 2の横半分に、鮭を薄く広げる（9ページの写真参照）。

4 二つに折りたたみ、手で押してなじませる。ぬらした包丁で半分に切る。

super かーんたん cup-soup

材料　ふ…10～15個　トマト…1個　昆布（1cm×10cm）…1枚　かつお節…ひとつかみ（5～10g）　水…$1\frac{1}{2}$カップ　塩、しょうゆ…各適宜

作り方　1 鍋に細く切った昆布と水を入れて火にかけ、煮立ったら塩、しょうゆで味を調える　2 ざく切りにしたトマトとふを加え、ひと煮立ちしたらかつお節を加える。

納豆サンドおにぎり

のりにごはんを広げてペタンと二つ折り。
これなら、納豆ごはんを手で食べてもネバネバしません。
手巻きにするよりも簡単なのがうれしいですね。

材料

納豆…1パック

納豆のたれ または しょうゆ…適宜

ごはん…茶わん1～2杯　　のり…全形1枚

作り方

1 納豆にたれかしょうゆを混ぜておく。
2 半分に切ったのりの上に、それぞれごはんを薄く広げる。
3 2の横半分に、納豆を薄く広げる（9ページの写真参照）。
4 二つに折りたたみ、手で押してなじませる。ぬらした包丁で半分に切る。

具いっぱいで決まり!

にら玉おやき

**ごはんがちょっと足りないなというとき、
野菜たっぷりのおやきなら、簡単にできてヘルシー。
しかも、冷やごはんでもできるのがうれしいですね。**

材料

ごはん…茶わん1～2杯
にら…$\frac{1}{4}$わ　ごま…適宜
卵…1個　塩、こしょう…各少々
しょうゆ…少々　ごま油…適宜

作り方

1 ごはんはボウルに入れて軽くつぶす。
2 ざく切りにしたにら、ごま、卵を加えて混ぜ合わせる。
3 塩、こしょうで味を調え、ごま油をひいたフライパンに流し入れる。
4 両面をこんがり焼いて、しょうゆを塗る。

手づかみちょこっとvegetable

材料　大根…適宜　ゆかり…少々

作り方　大根をスティック状に切り、ゆかりをふりかける。

*ゆかりの塩分は、商品によって異なりますが、あまりたくさんふると塩辛くなるので気をつけて。
*大根は、生で食べるので辛味の少ない部分を。

じゃがいものおやき

ごはんにじゃがいものすりおろしを混ぜて焼くと、あら不思議！
もちもちのもち米みたいな食感。
思わず二つ目に手がのびること間違いなし。

材料

じゃがいも…1個　　ごはん…茶わん1～2杯
ピザ用チーズ…適宜　　のり…適宜
サラダ油…適宜

作り方

1 ごはんはボウルに入れて軽くつぶす。
2 じゃがいもをすりおろしながら加え、チーズも加えて混ぜ合わせる。
3 油をひいたフライパンに流し入れ、表面にのりをちぎってのせる。
4 両面こんがり焼く。

のっけて、はさんで、パン！

好きなものをのせたりはさんだり。
買いおきしてある卵やソーセージ、生野菜などとも
相性抜群。食欲のないときは甘い味もアリです。

Point 1　食パンの厚さは子どもの食べる量に合わせて

わざわざサンドイッチ用のパンを買わなくても、ふつうの食パンで充分。ただ、ぺたんと半分に折ってサンドイッチにしたり、上に具をのせてかぶりついたりすることを考えると、8枚切りや12枚切りが食べやすいと思います。

Point 2　サンドイッチにはロールパンがお手軽

ロールパンは切り込みを入れてはさむだけなので、簡単、食べやすい、こぼれない！　しかもおなかに合わせて1個、2個と調節しながら食べられる、うれしいサイズ。ホットドッグにする場合も、市販のウインナーソーセージがぴったりのる大きさです。

Point 3　トーストに工夫して栄養をプラス！

単にバターやジャムを塗るだけでなく、アイデア次第で、いろんなものをのせられるのがトースト。じゃこや納豆やのりなどの和風素材もけっこう合います。どんぶり物感覚で、いろいろのせて焼いてみるのも楽しいですよ。

カリカリベーコンと
とろーり半熟卵が最高！

トーストのベーコンエッグのせ

ベーコンエッグは、目玉焼きをひっくり返して
両面焼きにするのがコツ。パンを折りたたんで
はさんでしまえば、手づかみでも食べやすい。

材料

ベーコン……2枚
卵……2個
サラダ菜……2枚
食パン（8枚切り）…2枚
サラダ油…少々

作り方

1 サラダ油をひいたフライパンにベーコンを入れて炒め、卵を割り入れてふたをする。
2 食パンは軽くトーストしておく。
3 1の卵をひっくり返し、だいたいかたまったらとり出す。サラダ菜とともに2のトーストにのせる。

たっぷりのせた
じゃこがカリカリ

じゃこマヨトースト

**パン、マヨネーズ、じゃこ、チーズという、
和洋折衷の組み合わせが新鮮。
カルシウムたっぷりで朝から元気いっぱいです。**

材料

ちりめんじゃこ…適宜
スライスチーズ…2枚
食パン（8枚切り）…2枚
マヨネーズ…少々

作り方

1 食パンにマヨネーズを塗り、ちりめんじゃこを散らし、スライスチーズをのせる。
2 チーズが溶けておいしそうな焼き色がつくまで、オーブントースターで焼く。
3 スティック状に切って器に盛る。

cooking memo

パンの朝食は栄養バランスが偏りがち。でも、ちりめんじゃことチーズを使ったこんなメニューなら、育ち盛りの子どもに必要なカルシウムがたっぷりとれます。

納豆とパン!?
意外な組み合わせがおいしい

納豆オムレツドッグ

納豆はオムレツにしてしまえばパンにも合います。小さめのロールパンにはさめば、食べやすいですね。

材料

卵…1個
納豆…1パック
納豆のたれ
　またはしょうゆ…適宜
青ねぎ…適宜
ごま油…適宜
ロールパン…2〜3個
マヨネーズ…少々

作り方

1 青ねぎは小口切りにし、納豆、納豆のたれとともに溶き卵に加えて混ぜ合わせておく。
2 フライパンにごま油を熱して1を一気に流し入れ、大きく混ぜてオムレツにする。
3 ロールパンに切り目を入れてマヨネーズをしぼり、2を適量はさむ。

バランスアップドリンク！
オレンジヨーグルト

プレーンヨーグルトにオレンジジュースの自然な甘みをプラスして飲みやすく。ジュースは果汁100%のものを使いましょう。

作り方

オレンジジュースとプレーンヨーグルトを同量ずつ、コップに入れて混ぜ合わせる。

卵とミルクで栄養満点！
子どもたちに大人気

フレンチトースト

かたくなったパンでも、どんな種類のパンでも作れます。好みのジャムを塗って、甘い朝ごはんも子どもたちは大好き。

材料

食パン（8枚切り）…2枚
A）卵…1個
　牛乳…1カップ
　砂糖…大さじ1
バター…大さじ1
好みのジャム…適宜

作り方

1. 食パンは食べやすい大きさに切り、Aを混ぜ合わせたものに5分ほど漬け込む。
2. バターを溶かしたフライパンで1を両面こんがりと焼く。
3. 器に盛って、表面にジャムを塗る。

cooking memo

焼いてジャムを塗ったフレンチトーストに、溶けるチーズをのせて余熱で溶かして食べるチーズフレンチトーストもおすすめです。たんぱく質もとれるので、栄養価がアップ！

サンドイッチの定番を
ロールパンで手軽に

ツナマヨドッグ

最初に玉ねぎを塩でもんで水気をしぼれば
辛さが抜けます。玉ねぎが苦手な子は、
きゅうりの塩もみを入れてもいいですね。

材料

玉ねぎ…$\frac{1}{2}$個
塩…少々
ツナ缶…小1缶
マヨネーズ…適宜
きゅうり…適宜
ロールパン…2〜3個

作り方

1 玉ねぎは薄切りにし、塩でもんで水気を切っておく。
2 軽く汁気を切ったツナ缶を1に混ぜ、マヨネーズで味を調える。
3 ロールパンに切り目を入れて、2ときゅうりの薄切りをはさむ。

バランスアップドリンク！
トマトヨーグルトスープ

熟した生のトマトのすりおろしで作ってもおいしい。甘いのが好きならはちみつを加えて。

作り方

トマトジュースとヨーグルトを同量ずつコップに入れて混ぜ合わせ、塩で味を調える。（食塩添加のものなら塩は不要。）

のっけて、はさんで、パン！

こんがり焼けば
中のチーズがとろり

クロックムッシュ

**食パンにチーズとハムをはさんで二つ折り。
オーブントースターで焼くときは、
つまようじをつき刺して焼くと上手に焼けますよ。**

材料

食パン（8枚切り）…2枚
ハム、スライスチーズ …各2枚

作り方

1 食パンにハムとスライスチーズをのせて半分に折りたたみ、ようじでとめる。
2 オーブントースターでこんがりと焼く。

cooking memo

食パンに具をのせて半分に折る方法なら、サンドイッチもラクラク。パンがやわらかいほうが食べやすい子は、焼かずにそのままハムチーズサンドとして食べてもOK。

和洋折衷のおかずトーストは
ベーコンの味が決め手

にんじんきんぴらトースト

にんじんもベーコンと一緒にきんぴら味にすると、パンにもごはんにもぴったりの味に。マヨネーズとも相性ばっちりです。

材料

にんじん…小1本
ベーコン…1枚
ごま油…大さじ1
しょうゆ、ごま…各適宜
スライスチーズ…2枚
食パン（8枚切り）…2枚

作り方

1 ベーコンは1cm幅に切ってごま油で炒め、せん切りにしたにんじんを加えて炒める。
2 ふたをして蒸し焼きにし、にんじんがやわらかくなったらしょうゆを回し入れてごまをふる。
3 食パンに2 のきんぴらをのせ、スライスチーズをのせて、トースターでチーズが溶けるまで焼く。

バランスアップドリンク！
バナナジュース

ビニール袋を使ったアイデアレシピ。ミキサーを洗う手間がないから気軽に作れます。

作り方

バナナは皮をむいてビニール袋に入れ、外側から手でもんでどろどろにつぶす。コップに入れ、牛乳を加え混ぜる。

野菜も卵もパンも
一度に食べられちゃう！

トマトオムレツドッグ

**トマト入りのオムレツは、過熱しすぎないのがコツ。
生っぽいほうが、全体的にふんわりして
食べやすいのです。**

材料

トマト…1個
卵…1個
バター…大さじ1
塩、こしょう…各少々
ロールパン…2～3個
サラダ菜…2～3枚

作り方

1 トマトはざく切りにし、バターを入れたフライパンでさっと炒める。
2 塩、こしょうした溶き卵を一気に入れて、大きくかき混ぜる。
3 卵にだいたい火が通ったら、切り目を入れたロールパンにサラダ菜とともにはさむ。

cooking memo

パンとトマトサラダとオムレツ、という3品のメニューの材料を1品に。これなら、「ばっかり食べ」しかできない子どもにも負担がなく、栄養バランスもばっちりです。

焼いたバナナが甘ずっぱい
おやつ風パンメニュー

はちみつバナナトースト

**バナナとはちみつののった、
子どもたちが大好きな甘いトースト。
パンを切ってからバナナをのせて焼くのがポイント。**

材料

バナナ…1本
はちみつ…適宜
食パン（8枚切り）…2枚

作り方

1 バナナは1cm厚さの輪切りにし、食べやすく切った食パンの上に並べる。
2 トースターでおいしそうな焼き色がつくまで焼き、はちみつをかける。

バランスアップドリンク！
豆乳ココア

豆乳独特の風味がココアの香りと混ざって飲みやすい。ホットにして飲みたいときは、鍋で作って温めます。

作り方（1人分）

無調整ココア大さじ1を同量の熱湯で溶かし、はちみつ大さじ1と豆乳1カップを加えて混ぜる。

朝ごはん、これでもいいよ！

ごはんもパンもないときは、
いも類やとうもろこしなど、炭水化物の多い野菜でもOK。
ほんの少しの水で蒸し焼きにするのがコツです。

材料

好みの野菜…適宜
（さつまいも、かぼちゃ、
じゃがいも、とうもろこしなど）
塩…少々

作り方

1 さつまいも、かぼちゃは2cm厚さくらいに切る。じゃがいもはくし形切りにする。とうもろこしは、皮をむいて4～5cmくらいに切る。
2 フライパンに水を1/2カップほど入れて火にかけ、沸騰したら野菜を入れてふたをする。
3 弱火で蒸し焼きにし、野菜がやわらかくなったら、好みで塩をふってできあがり。

あると便利なお役立ち食品

**いざというときのために、
用意しておくと便利なものたち。
すぐに食べられる手軽さもうれしいですね。**

冷凍パン

カビが生えやすい季節には
冷凍してしまうのが賢い手。
凍ったままトーストできます。

バナナ

これ1本でも栄養価が高いので、
朝ごはんがわりになります。
パンケーキに混ぜる、トーストにのせる、
飲み物にするなど応用範囲も広い。

クラッカー

ジャムやディップをつけたり、
切った野菜やゆで卵をのせたりして。
砕いてヨーグルトに混ぜれば
シリアル風にも。

おふ

砕いてパンケーキの粉がわりにする、
卵液にひたしてフレンチトースト風にするなど、
使い方はいろいろ。
しかも、じつはそのままでも
食べられるんです。

おもち

トースターで焼いて
砂糖じょうゆをつけてのりを巻いたり、
レンジ加熱してきな粉をかけたり。

「大変、寝坊しちゃった！」そんなときの朝ごはんは……？

親だって人間なのですから、寝坊することだってあります。そんなとき、自分があせっているもんだから、ついつい子どもにも早く早くとせかして、なんだかイライラと怒ったりしてしまいがち。でも、こんなときこそ、深呼吸。子どもたちがすぐに大喜びで食べそうな朝ごはん、作ってみませんか？　ジャムをたっぷり塗ったトーストだとか、砂糖じょうゆを塗ったおもちとか、バナナと甘いヨーグルトだっていい。すぐにできて、おやつみたいな甘いものもおすすめ。子どもたちがワーッと喜んで一気に目が覚めて、思わず手が出るようなもの。

要は、お母さんが寝坊した日の朝ごはんはなんだか楽しいぞと思わせられたら成功。寝坊した罪悪感も一掃できるというものです。

part 2

これっきり！ワンボウルの朝ごはん

あれもこれもとたくさんのおかずはいりません。スープごはんやおかずかけごはんにして、これっきりの食べきり朝ごはん。ありあわせのもので作っても、栄養バランスがとれるのがうれしいところ。もちろん洗い物もワンボウル！！

part2

※分量は特に指定のない場合、大人1人と子ども1人の2人分です。

スープと主食でワンボウル！

「ばっかり食べ」を卒業できない子どもには、スープと主食が一緒になった朝ごはんが絶対おすすめ。野菜もたっぷりとれて、おなかも温まります。

かぼちゃ入りみそすいとん

材料

玉ねぎ…1/2個
かぼちゃ…100g
油揚げ…1/2枚
A）小麦粉…1カップ
　水または牛乳…1/2カップ
　塩…少々
水…2カップ
昆布（1×10cm）…1枚
みそ…大さじ2
かつお節…ひとつかみ

作り方

1 玉ねぎは薄切り、かぼちゃは2cm厚さのいちょう切り、油揚げは短冊切りにする。
2 鍋に昆布の細切り、水、1を入れ、ふたをして煮る。
3 ビニール袋にAを入れて混ぜ合わせ、すいとんの生地を作る。
4 2の野菜がやわらかくなったら、3の袋の端を切り、食べやすい大きさにしぼり出しながら入れる。
5 みそを溶き入れ、最後にかつお節を加えて火を止める。

ごはんもパンもなくて困ったとき、
小麦粉を水で溶いただけのすいとんはいかがですか？
ビニール袋で作れば、後片付けもラクラクです。

青菜入りかき玉うどん

材料

チンゲン菜…1株
油揚げ…小1枚
冷凍うどん…1～2玉
水…2カップ
昆布（1×10cm）…1枚
塩…小さじ$\frac{1}{2}$
しょうゆ…大さじ1
みりん…大さじ2
かつお節…ひとつかみ
卵…1個

作り方

1 チンゲン菜は3cmくらいのざく切り、油揚げは短冊切りにする。
2 鍋に昆布の細切り、水、1を入れて火にかける。煮立ったら塩、しょうゆ、みりんで味を調え、凍ったままのうどんを加える。
3 うどんが温まったらかつお節を入れてひと混ぜし、溶き卵を回し入れる。

＊チンゲン菜のかわりに小松菜や水菜、ねぎなどでもおいしい。下ゆでせずに入れるので、アクのない野菜を。

冷凍うどんを常備しておけば、朝からうどんもラクに作れます。アクの少ない野菜を使えば、下ゆでなしで直接入れられて便利です。

スープと主食で
ワンボウル!

レタスとじゃこのさっぱりおじや

生野菜嫌いの子どもでも、さっと加熱してあげると、
けっこうぺろりと食べられるもの。
じゃことポン酢の組み合わせもさっぱりしておいしい。

材料

レタス…3～4枚
ちりめんじゃこ…大さじ3～4
ごはん…茶わん1～2杯
水…$1\frac{1}{2}$カップ
ポン酢しょうゆ…適宜

作り方

1 鍋に水とごはんを入れて火にかける。
2 煮立ったらレタスを手でちぎって入れ、じゃこも加えてさっと煮る。
3 器に盛り、好みでポン酢しょうゆをかける。

マカロニ入りトマトスープ

材料

ベーコン…2枚
オリーブオイル…大さじ1
玉ねぎ…$\frac{1}{2}$個
にんじん…$\frac{1}{3}$本
トマト…小1個
水…2カップ
マカロニ…30〜40g
塩、こしょう、しょうゆ…各少々
粉チーズ…適宜

作り方

1 ベーコンは細切りに、玉ねぎとにんじんは1cm角に、トマトはざく切りにする。
2 鍋にオリーブオイルと細く切ったベーコンを入れて炒め、いい香りがしてきたら玉ねぎ、にんじんも加えて炒める。
3 全体に油がなじんだら、水、トマト、マカロニを加え、ときどき混ぜながらふたをして煮る。
4 マカロニがやわらかくなったら、塩、こしょう、しょうゆで味を調える。
5 器に盛り、好みで粉チーズをふる。

最近は早ゆでのマカロニが売られていますので、野菜を煮るときに一緒に入れてしまえば、スープパスタが手軽に作れます。

スープと主食でワンボウル!

さつまいものミルクがゆ

ほんのり甘いさつまいもとミルクの味って妙に合うんです。
最初は水で煮ておいて、
後から牛乳を加えるのがコツです。

材料

さつまいも…小$\frac{1}{2}$本
水…$\frac{1}{2}$カップ
牛乳…1カップ
ごはん…茶わん1～2杯
塩…少々

作り方

1 さつまいもはいちょう切りにして水とともに鍋に入れ、ふたをして火にかける。
2 さつまいもがやわらかくなったらごはんと牛乳を加えて煮る。
3 ごはんがやわらかくなったら、塩で味を調える。

和風ツナカレーリゾット

カレーの香りって、それだけで食欲をそそりますよね。
「朝からカレー!?」と思われるかもしれませんが、
いやいや、これがけっこうウケるんです。

材料

ツナ缶…小1缶
玉ねぎ…½個
にんじん…小⅓本
カレー粉…大さじ1
オリーブオイル…大さじ1
水…1½カップ
ごはん…茶わん1～2杯
しょうゆ、みりん…各大さじ1½
青ねぎ…少々

作り方

1 玉ねぎは薄切り、にんじんはせん切りにし、オリーブオイルを熱した鍋で炒める。
2 カレー粉を加えてさらに炒め、水を注いでふたをして煮る。
3 野菜がやわらかくなったら、ごはんとツナを入れ、しょうゆ、みりんで味を調える。
4 あれば青ねぎの小口切りを散らす。

スープと主食で
ワンボウル!

トマトと卵の春《はる》雨《さめ》スープ

ごはんもパンもないときは、春《はる》雨《さめ》も使えます。
緑《りょく》豆《とう》春《はる》雨《さめ》なら、戻さず直接入れてOK。
あっという間に火が通るし、つるっとした食感に子どもたちも大喜び。

材料

トマト…1個
卵…1個
ベーコン…2枚
ごま油…大さじ1
カットわかめ…2つまみ
水…$1\frac{1}{2}$カップ
春雨…30g
しょうゆ、塩、こしょう…各適宜

作り方

1. 鍋にごま油と細く切ったベーコンを入れて炒め、いい香りがしてきたら水、カットわかめを加える。
2. 煮立ったらざく切りにしたトマト、春雨を加え、しょうゆ、塩、こしょうで味を調える。
3. 春雨がやわらかく戻ったら、最後に溶き卵を回し入れる。

中華風コーンがゆ

材料

クリームタイプのコーン缶…$\frac{1}{2}$缶
牛乳…1カップ
ごはん…茶わん1～2杯
ハム…3～4枚
塩、こしょう…各少々

作り方

1 鍋にコーン缶、牛乳、ごはんを入れて火にかけ、かき混ぜながら煮る。
2 とろりとなるまで煮たら、塩、こしょうで味を調える。
3 細かく刻んだハムを散らす。
＊クリームコーンは悪くなりやすいので、残りをすぐに使わない場合は冷凍保存しておきましょう。

クリームタイプのコーン缶って、コーンスープにするよりも、ごはんを入れておかゆにするほうが、絶対子どもたちは大好き。

スープと主食で
ワンボウル!

超簡単スピード冷や汁

宮崎名物冷や汁。簡単にできる方法を考えました。
暑くて食欲のないときでも、
これならきっと、サラサラと食べられるはず。

材料

豆腐…$\frac{1}{2}$丁
きゅうり…$\frac{1}{2}$本
青じそ…5枚
すりごま…適宜
ごはん…茶わん1～2杯
ちりめんじゃこ…30g
みそ…大さじ2
水…$1\frac{1}{2}$カップ
氷…少々

作り方

1 きゅうりは薄切りにして軽く水気をしぼる。青じそはせん切りにする。
2 ちりめんじゃこは包丁で細かく刻んでみそと混ぜ合わせ、水を加えてのばす。
3 豆腐をくずしながら2 に加え、茶わんに盛ったごはんの上にかける。
4 最後にきゅうり、青じそ、ごまを散らし、氷を入れる。

さっぱりサラダそうめん

そうめんはすぐにゆで上がるので、朝ごはんにはぴったり。
めんと一緒に野菜もゆでれば、ヘルシー度もアップ。
暑いときは冷たさもごちそう。

材料

にんじん…$\frac{1}{3}$本
えのき…$\frac{1}{2}$袋
レタス…3～4枚
ハム…3～4枚
そうめん…2束
めんつゆ（ストレートタイプ）…$1\frac{1}{2}$カップ
ごま油…大さじ1
レモン汁…$\frac{1}{2}$個分

作り方

1 そうめんをゆで、にんじんのせん切り、食べやすく切ったえのきも一緒にゆでる。
2 **1**がゆで上がったらざるにとって水気を切り、レタスの細切りとハムのせん切りも混ぜる。
3 めんつゆにごま油、レモン汁を混ぜ合わせる。
4 **2**を器に盛って、**3**をかける。
＊濃縮タイプのめんつゆは、好みの濃さに薄めて使いましょう。

おかずとごはんでワンボウル！

ごはんの上におかずをのせてしまうワンボウルごはんは、知らず知らずに栄養のバランスもとれるし、洗い物も少なくすんで、うれしいことだらけ。

もやし炒めと目玉焼きごはん

目玉焼きの下に炒めたもやしがたっぷり。
かつお節とのり、しょうゆの組み合わせは、大人だって大好きなどんぶりです。

材料

もやし…$\frac{1}{2}$袋
ごま油…大さじ1
のり、かつお節…各適宜
卵…2個
ごはん…茶わん1～2杯
しょうゆ…少々

作り方

1 ごま油でもやしを炒め、ちぎったのり、かつお節を混ぜる。器に盛ったごはんにのせる。
2 空いたフライパンに卵を割り入れて目玉焼きを作り、1の上に乗せる。
3 好みでしょうゆをかけて食べる。

かぼちゃのホワイトソースごはん

フライパン1個で簡単に作れるホワイトソースを覚えておくと、
中に入れる具をいろいろ変えるだけで、バリエーションも楽しめます。

材料

かぼちゃ…100g
玉ねぎ…$\frac{1}{2}$個
バター…大さじ1
小麦粉…大さじ1
牛乳…1カップ
塩、こしょう…各少々
溶けるチーズ…50g
ごはん…茶わん1〜2杯

作り方

1 かぼちゃは2cm厚さのいちょう切り、玉ねぎは薄切りにする。
2 フライパンにバター少々（分量外）を入れてかぼちゃを炒め、ふたをして蒸し焼きにする。かぼちゃがやわらかくなったらとり出す。
3 空いたフライパンにバター大さじ1を入れて玉ねぎを炒め、小麦粉も加えて炒める。牛乳を加えてさらに火にかけ、とろみがついたら塩、こしょうで味を調える。
4 器にごはんを盛り、溶けるチーズをのせて3をかける。

おかずとごはんでワンボウル!

栄養たっぷり納豆混ぜ混ぜごはん

**シンプルな納豆かけごはんもいいですが、
ありあわせのものをいろいろ混ぜると、
「シャキシャキ」「ポリポリ」と口の中で楽しいリズムが生まれます。**

材料

納豆…1パック
好みの漬け物…適宜
大根の葉…あれば適宜
白ごま…少々
ごはん…茶わん1〜2杯
しょうゆ…少々

作り方

1 漬け物、大根の葉は細かく刻む。
2 納豆に1を混ぜ、ごはんの上にかけて白ごまをふる。
3 好みでしょうゆをかけて食べる。
＊漬け物はたくあんや高菜漬け、野沢菜漬けなど、なんでもOK。小さいパックの味付きもずくを一緒に混ぜてもおいしいですよ。
＊最後にごまと一緒にちぎったのりを散らしても合います。

中華風あんかけごはん

野菜を煮たものにとろみをつけてごはんにかけるだけなのですが、オイスターソースを入れるだけで、子どもたちの大好きな中華味になります。

材料

玉ねぎ…$\frac{1}{2}$個
にら…$\frac{1}{2}$わ
ツナ缶…小1缶
ごま油…大さじ1
水…$1\frac{1}{2}$カップ
水溶き片栗粉…適宜
オイスターソース…大さじ1
ごはん…茶わん1～2杯

作り方

1 玉ねぎは薄切りにしてごま油で炒め、水を加えてふたをして煮る。
2 玉ねぎがくたっとなったらツナ缶を入れ、オイスターソースで味を調える。
3 水溶き片栗粉を加えてとろみをつけたら、ざく切りにしたにらを加えて混ぜ、ごはんの上にかける。

おかずとごはんでワンボウル!

鮭とかいわれのチャーハン

**フライパンで鮭を焼いて、その中でほぐし、
さらにごはんまで炒めちゃう。
だから洗い物もひとつでとっても簡単。**

材料

甘塩鮭…1切れ
サラダ油…少々
かいわれ大根…1パック
ごはん…茶わん2杯
塩、こしょう、しょうゆ…各適宜

作り方

1 油を熱したフライパンで鮭を焼き、火が通ったら木べらで身をほぐして、皮と骨をとり除く。
2 ごはんを入れてさっと炒め、根元を落としたかいわれを加え、塩、こしょう、しょうゆで味を調える。

お手軽ひじきごはんゆかり風味

ひじきってちょっとめんどうな気がするけれど、
奥薗式なら、ひじきを戻すところから
フライパンひとつでできあがり。

材料

芽ひじき…2つまみ
水…$\frac{1}{2}$カップ
しょうゆ…大さじ$\frac{1}{2}$
ちりめんじゃこ…大さじ2～3
ゆかり、白ごま…各少々
ごはん…茶わん2杯

作り方

1 芽ひじきと水を鍋に入れて火にかけ、煮立ったら火を止めて5分おく。
2 ふたで押さえて水気を切り、再び火にかけてしょうゆを混ぜる。
3 ちりめんじゃこ、ゆかり、ごま、ごはんを加えて、混ぜ合わせる。

甘煮とは違う、うま味たっぷりの和風サラダ

かぼちゃのめんつゆ漬け

材料

かぼちゃ…$\frac{1}{4}$個
めんつゆ…1カップ
ごま油…大さじ1

作り方

1 かぼちゃは1〜2cm厚さのいちょう切りにしてごま油でさっと炒め、水を$\frac{1}{2}$カップほど加えてふたをして、ごく弱火で蒸し焼きにする。
2 かぼちゃがやわらかくなったら密閉容器に入れ、めんつゆを入れてふたをする。
3 カチャカチャとふって味をしみ込ませたらできあがり。
＊めんつゆはストレートタイプを使用。濃縮タイプは、好みの濃さに薄めて使ってください。

作りおきできる野菜のおかず

くたっとやわらかく煮えたいんげんがおいしい

いんげんのくたくた煮

材料

いんげん…1パック（約20本）
しょうゆ、みりん…各大さじ1
ごま油…少々
かつお節…ひとつかみ

作り方

1 いんげんはすじをとってごま油でさっと炒め、水を$\frac{1}{2}$カップほど加えてふたをして、弱火で蒸し焼きにする。
2 いんげんがくたっとなったら、しょうゆとみりんで味を調え、最後にかつお節を混ぜる。

自然の甘味が体にやさしい

さつまいものレモン煮

材 料

さつまいも…1本
りんご…1個
レモン汁…½個分

作り方

1 さつまいも、りんごは1cm厚さのいちょう切りにする。
2 鍋にりんごを入れ、その上にさつまいもをのせる。水を大さじ1ほど入れ、ふたをして弱火にかける。
3 さつまいもに火が通ったら、レモン汁を回し入れてひと混ぜする。
＊ 好みではちみつも加える。
＊ヨーグルトに混ぜて食べてもおいしい。

作りおきしておくと便利な野菜のおかずたち。保存は冷蔵庫。温めなおさずそのまま食べられ、パンにもごはんにも合います。

袋に入れてもむだけなのに、このおいしさ

コールスローサラダ

材 料

キャベツ…¼個
玉ねぎ…1個
塩…小さじ½
ツナ缶…小1缶
レモン汁…½個分

作り方

1 キャベツ、玉ねぎはせん切りにしてビニール袋に入れる。
2 ほかの材料もすべて同じ袋に入れ、袋の上から手でよくもむ。

Let's have breakfast!

朝ごはんは、なぜ大切？

脳は「食べだめ」ができないから、朝ごはんでエネルギー補給

脳は、体に必要なエネルギーの20％を消費するといわれるほど、たくさんのエネルギーを必要とします。脳のエネルギーとなるのは主にブドウ糖。ただし、このブドウ糖は、体内に長時間蓄えておくことができません。朝食を抜くと、前日の夕食から翌日の昼食までは、約17時間以上。当然、脳はエネルギー不足で充分に働けなくなってしまいます。朝食にごはんやパンなどを食べ、ブドウ糖のもとになる炭水化物をしっかりとることが大切なのです。

睡眠中に下がった体温を上げ、体の機能を活発に

人間の体は、睡眠中、体温が下がった状態になっています。体の働きを低下させて、体を休めているのです。この「お休みモード」から、体を目覚めさせるには、体温を上げなければなりません。そのためにも、朝ごはんはとても重要。

「朝は眠くて食べられない」ということもちろんありますが、逆に「食べないからいつまでも眠くてだるい」ということでもあるのです。夜は早めに寝て、朝早起きし、朝食をきちんととるのが理想です。

Breakfast For Kids

part 3

混ぜて焼くだけの朝ごはん

パンケーキ＆お好み焼きは子どもたちの大好物。基本の生地の比率さえ覚えてしまえば、あとはありあわせの具を加えるだけ。ささっと作れて、工夫次第で野菜やたんぱく質もばっちりとれます。手づかみで食べられるのもうれしいですね。

part3

パンケーキ＆お好み焼き
シンプル バランスで
簡単！おいしい！

ごはんもパンもない朝は、混ぜて焼くだけパンケーキ！

小麦粉、卵、ベーキングパウダー、砂糖、牛乳。これだけを混ぜて焼けば、ほら、すぐにパンケーキ。市販のホットケーキミックスなんていらないのです。黄金比率を覚えてしまえば、寝坊した朝だって超ラクラク。今日は軽いものでいいかなというときにもぴったりです。にんじんやかぼちゃみたいな野菜を一緒に入れてしまえるのもうれしいですね。

お好み焼きはありあわせの具で。野菜たっぷり、栄養バランス◎

お好み焼きというと、キャベツに豚バラ肉など、いろいろな具を用意して、焼くのもめんどうくさそうな気がしますが、基本の生地さえマスターしておけば、ありあわせの具を適当に混ぜて焼くだけ。栄養バランスもいいし、朝からたっぷり野菜が食べられるんです。ソース以外にもしょうゆやケチャップ、マヨネーズなど好みのものをかけて。

※右のページを切りとって、冷蔵庫などにはっておくと便利ですよ。

パンケーキ

シンプル バランス

（2〜3枚分）

小麦粉 1 カップ

ベーキングパウダー小さじ 1

砂糖大さじ 1

卵 1 個

牛乳 1/2 カップ

〈切りとり線〉

step 1 混ぜる

粉類と砂糖を合わせたところに卵と牛乳を加えてよく混ぜ合わせます。

step 2 入れる

生地が均一に混ざったら、具を入れてお玉などで軽く混ぜます。

step 3 焼く

油かバターをひいたフライパンで焼きます。ホットプレートでもOK。

お好み焼き
シンプル バランス

（2〜3枚分）

小麦粉1カップ　卵2個　水50cc

かつお節5g　塩少々

step 1 混ぜる

生地の材料と刻んだ具をすべてボウルに入れ、はしなどでよく混ぜ合わせます。大きめのボウルが混ぜやすい。

step 2 焼く

油をひいたフライパンに生地を流し入れ、片面に色がついたら返して反対側も焼きます。お休みの日は子どもと一緒にホットプレートで。

〈切りとり線〉

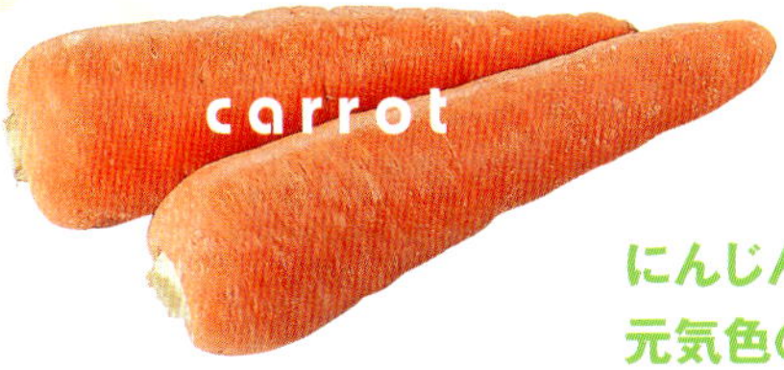

にんじん パンケーキ

にんじんのすりおろしがたっぷり入った
元気色のパンケーキ。でもにんじんくささは
まったくないのでにんじん嫌いの子も大丈夫。

材料（2～3枚分）

基本のパンケーキ生地
にんじん…小1本
バターまたはサラダ油…適宜

作り方

1 基本のパンケーキ生地に、にんじんをすりおろして加える。
2 よく混ぜ合わせ、バターか油をひいたフライパンで焼く。

cooking memo

にんじんは皮ごとすりおろして大丈夫。穴があいていて下に落ちるタイプのおろし金なら、ボウルの上で直接おろしながら入れられるので便利です。使ったらすぐに水につけておくと洗うのがラクですよ。

バナナのスイート パンケーキ

バナナ味のパンケーキは大人にだって大人気。
そのまま食べてもおいしいですが、
はちみつやメープルシロップをかけても。

材料（2～3枚分）

基本のパンケーキ生地　　バナナ…1本
バター…大さじ1　　はちみつ…適宜

作り方

1 バナナはつぶしてパンケーキ生地に混ぜ込む。
2 バターを溶かしたフライパンで焼き、好みではちみつをかける。

cooking memo

バナナは最初に泡立て器でつぶす程度でOKです。とろとろになるまでていねいにつぶしてもおいしいのですが、バナナがごろごろ残っているのもまたおいしい。バナナは熟れたやわらかいものを。

ホクホクかぼちゃのパンケーキ

たっぷり入ったかぼちゃがポコポコと顔を出して、
見るからにかわいいパンケーキです。
かぼちゃのホクホク感と甘味が大人気間違いなし。

材料（2～3枚分）

基本のパンケーキ生地

かぼちゃ…200～300g　　バター…適宜

作り方

1 かぼちゃは1cm厚さのいちょう切りにしてバターでさっと炒め、ふたをして蒸し焼きにする。

2 かぼちゃがやわらかくなったらパンケーキ生地に混ぜ込み、バターを溶かしたフライパンで焼く。

cooking memo

かぼちゃは下ゆでせず、いきなりフライパンで蒸し焼き。1cm厚さくらいに切ること、ぴったり閉まるふたを使うこと、これがポイントです。水っぽくなく、かぼちゃの甘味も強く仕上がりますよ。

きな粉と豆乳のパンケーキ

きな粉が入ると香ばしくて食欲をそそります。バターやあんこ、黒みつをかけるのもいいですが、きな粉をぱらりとかけてもよく合います。

材料（2〜3枚分）

基本のパンケーキ生地（牛乳は除く）
きな粉…大さじ2〜3　豆乳…$\frac{1}{2}$カップ
バターまたはサラダ油…適宜

作り方

1 小麦粉1カップを計ったら、大さじ2〜3杯分を除いて、かわりに同量のきな粉を足す。
2 牛乳のかわりに、同量の豆乳を加えて、すべての材料を混ぜ合わせ、バターか油をひいたフライパンで焼く。

cooking memo

豆乳って、ちょっと使いにくい感じがしますが、牛乳と同じように使えます。最近はいろんな種類のものが出回っていますが、料理やお菓子に使うなら、砂糖や香料の入っていない無調整豆乳を。

キャベツとベーコンのお好み焼き

豚バラ肉のかわりにベーコンを入れてみると、洋風お好み焼きに大変身。そのままでもおいしいのですが、ケチャップやマヨネーズとも相性抜群。朝からたっぷりキャベツが食べられます。

材料（2～3枚分）

基本のお好み焼き生地

キャベツ、ベーコン…各適宜　　サラダ油…適宜

作り方

キャベツはざく切り、ベーコンは1cm幅に切る。お好み焼きの生地に混ぜ合わせ、油をひいたフライパンで焼く。

おいしい具の組み合わせバリエーション

キャベツ ＋ ソーセージ ＋ ケチャップ

ベーコンを子どもの好きなソーセージにかえ、ケチャップで。

キャベツ ＋ ツナ缶 ＋ カレー粉 ソース

具と一緒に生地にカレー粉を混ぜ込んでから焼きます。

油揚げとにらのお好み焼き

何にもないときは油揚げをぜひ入れてみてください。カリッと焼けば大人気間違いなし。カリッとさせるには、油抜きしないのがコツ。油揚げは短冊に切って冷凍しておけばすぐに使えて便利です。

材料（2〜3枚分）

基本のお好み焼き生地　油揚げ…1枚

にら…1/4わ　サラダ油…適宜

作り方

油揚げは短冊切り、にらはざく切りにする。お好み焼きの生地に混ぜ合わせ、油をひいたフライパンで焼く。

おいしい具の組み合わせバリエーション

油揚げ ＋ ねぎ ＋ 

香ばしい油揚げにねぎの風味としょうゆ味がよく合います。

油揚げ ＋ キャベツ ＋ 

キャベツとお好み焼きソースの定番味も、油揚げ入りだと新鮮。

納豆チーズお好み焼き

納豆入りのお好み焼きは、焼くときにちょっとにおいますが、
食べるときは逆に納豆くささはなくなるのです。
だから納豆嫌いの子でも大丈夫かも。
納豆は、大粒やひきわりではなく、小粒納豆がおいしいですよ。

材料（2～3枚分）

基本のお好み焼き生地
納豆…1パック　　プロセスチーズ…適宜
サラダ油…適宜

作り方

チーズは角切りにし、納豆は添付のたれを混ぜておく。お好み焼きの生地に混ぜ合わせ、油をひいたフライパンで焼く。

おいしい具の組み合わせバリエーション

納豆 ＋ ねぎ ＋ しょうゆ

納豆とねぎの和風組み合わせは、しょうゆを少しつけてどうぞ。

納豆 ＋ 刻んだ漬け物

刻んだ漬け物の食感がアクセントになり、味もつきます。

チンゲン菜とじゃこのお好み焼き

アクのない野菜なら何でもお好み焼きの具になります。特にチンゲン菜は年中手に入り、味にもクセがないので、子どもたちも食べやすいですね。軸のところは少し細めに切っておくと、サクサクとしておいしいものです。

材料（2〜3枚分）

基本のお好み焼き生地

チンゲン菜…1株　　ちりめんじゃこ…大さじ2

サラダ油…適宜

作り方

チンゲン菜は繊維を断つように細く切る。ちりめんじゃことともにお好み焼きの生地に混ぜ合わせ、油をひいたフライパンで焼く。

おいしい具の組み合わせバリエーション

チンゲン菜 ＋ ベーコン ＋ ケチャップ

クセのないチンゲン菜だから、ベーコンと合わせて洋風にも。

チンゲン菜 ＋ ひき肉 ＋ ソース

ひき肉の量を多めにすれば、ボリュームたっぷりのお好み焼きに。

Breakfast
For
Kids

part 4

お休みの日のゆったりブランチ

お休みの日は、子どもたちと一緒に作ってみるのも楽しみのひとつ。作りながら食べるのもよし、できあがっていく過程を楽しむのもよし。さて、主導権を握るのは、子どもたち？ それともお父さん？ うまくできたら、みんな大いばり。

part4

一緒にこねこね 大好き！手作りピザ

こんなに簡単におうちでピザが作れちゃうなんて！

こ〜んがり焼けたね。

生地から作るピザは、イーストを使うとこねたり発酵させたりするのがけっこう大変ですが、ベーキングパウダーでふくらませるタイプならとっても簡単。しかも奥薗式はビニール袋の中で作ってしまうので、台所も粉だらけにならず洗い物もなし!!

材料（大1枚分）

ピザ台

- 小麦粉…2カップ
- ベーキングパウダー…小さじ2
- 水…½カップ
- 塩…小さじ1
- オリーブオイル…大さじ2

好みのソース、トッピング…各適宜

ピザ用チーズ…適宜

作り方

1 ピザ台の材料をすべてビニール袋に入れる。袋を軽くテーブルにぶつけるようにして混ぜ、袋の外側からこねる。

2 生地がひとかたまりになったら、常温で30分ねかせる。

3 こねなおして、再び5分ねかせる。

4 袋に入れたまま、めん棒で好みの大きさにのばす。袋から出して天板にのせ、上に好みのソースを塗り、トッピングをのせる。

5 200℃のオーブンで、端が少しカリッとするまで焼く。

袋に入れてこねるから、汚れない、散らからない、手軽！

のばすときも袋に入れたままなので、仕上がりのサイズを考えて、大きめのビニール袋を用意してくださいね。

ホットプレートでひと口ピザ

オーブンがなくても、ピザは簡単に焼けるんです！　生地を手で小さな丸形にのばし、オリーブオイルをひいて熱したホットプレートで焼きます。火を通したい具は、生地を焼いているとなりで炒めて。

生地の端がカリッとしたらソースを塗り、具をのせて、チーズをのせます。余熱でチーズが溶けたら、召し上がれ！

何でも入れて
カラフルに
ホットプレートチャーハン

いつものチャーハンも、ホットプレートで作れば、子どもたちと一緒に作れて、楽しいですね。ごはんを炒めている横で作った目玉焼きをのせれば、ほらね、なんだかちょっとごちそう感ありません？　冷蔵庫の掃除を兼ねていろいろなものを具にしてみて。

材料（4人分）

ごはん…茶わん3～4杯
ありあわせの具…適宜
（鶏ひき肉、玉ねぎ、ブロッコリー、
さやいんげん、ピーマンなど）
卵…4個
バター…大さじ2
塩、こしょう…各適宜

作り方

1. 冷蔵庫にあるありあわせの野菜や肉などを細かく刻む。
2. ホットプレートにバターを溶かして1を炒める。
3. 2の横に卵を割り入れて目玉焼きを作る。
4. 具に火が通ったらごはんを加えて混ぜ合わせ、塩、こしょうで味を調える。
5. チャーハンを器にとり分け、目玉焼きをのせる。

単なるチャーハンなのに楽しい！これが、ホットプレートマジック

食卓にホットプレートをのせてみんなで囲んで調理すると、なんだかそれだけで楽しい雰囲気。混ぜながら炒めるのを、子どもに手伝ってもらって。

目玉焼きのごちそう効果！

チャーハンを作っているとなりで目玉焼きを焼いて、チャーハンにのせて食べるのがポイント！　これだけで、なんだかごちそうっぽくなりません？　黄身が半熟になるように焼いて、混ぜながら食べるとおいしいですよ。

どれにしようかな？

お好みトッピングマフィン

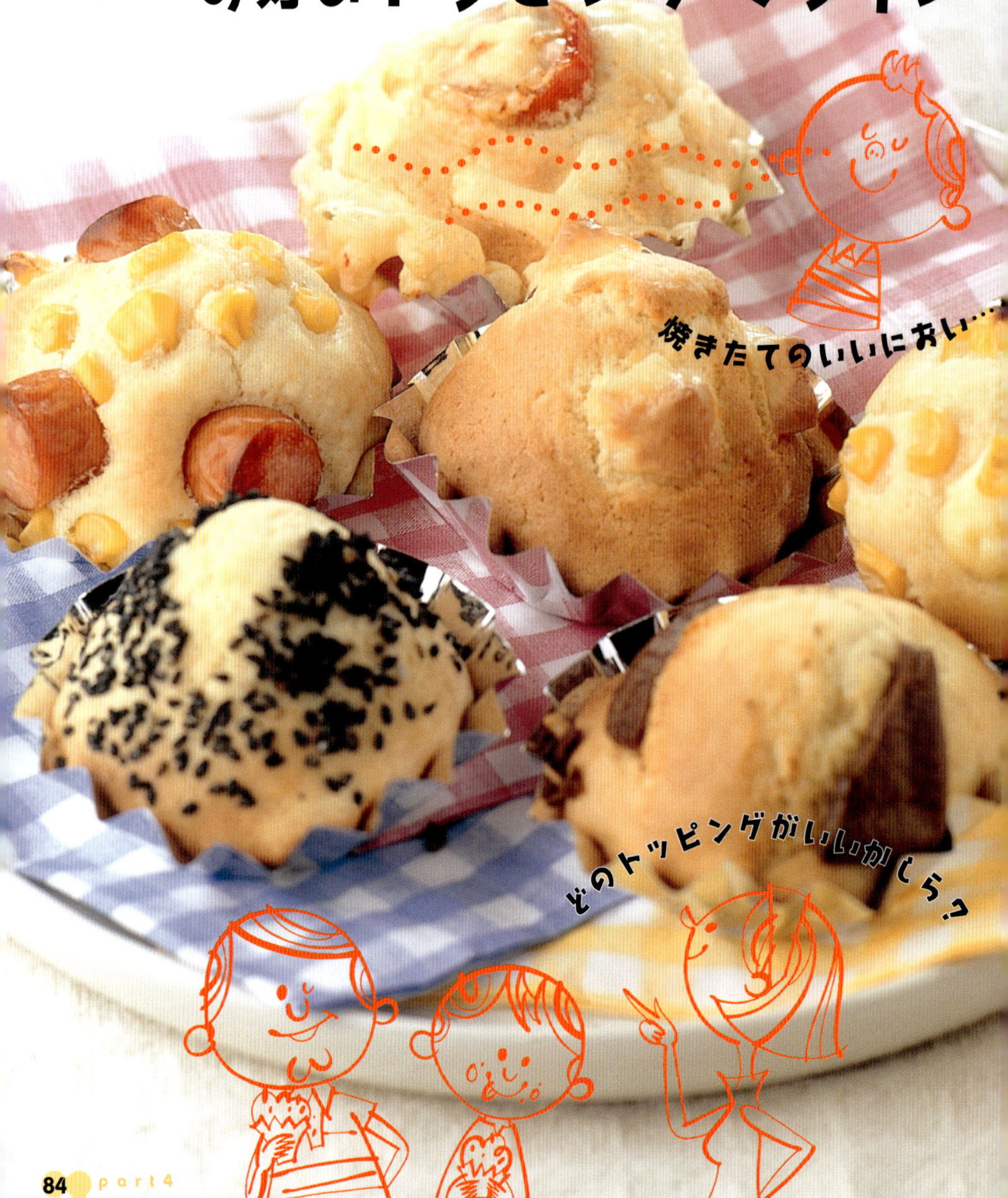
焼きたてのいいにおい…
どのトッピングがいいかしら？

休みの日のブランチに焼きたてのマフィンはいかが？
生地を1種類作れば、あとはトッピングを変えるだけで、いろんな種類ができるのがうれしいところ。子どもたちとワイワイいいながら、自分の好きなものをあれこれのせてみましょう。

材料（15〜20個分）

バター…大さじ8　砂糖…大さじ8
卵…4個　レモン汁…$\frac{1}{2}$個分
小麦粉…2カップ（約200g）
ベーキングパウダー…小さじ2
好みのトッピング…適宜

作り方

1 バターは常温に戻して泡立て器でクリーム状になるまでよく練る。
2 砂糖を加えてよく混ぜ、卵とレモン汁も加えてさらに混ぜる。
3 小麦粉とベーキングパウダーを入れて、ゴムベらでさっくりと混ぜ合わせる。
4 カップに流し入れて、それぞれに好みのトッピングをのせる。
5 180℃のオーブンで15〜20分焼く。

はかりを使わないのがズボラ流

お菓子作りでめんどうなのがはかりを使っての計量。そこで、計量スプーンと計量カップで簡単に計れるレシピにしました。これではかりの目盛りとにらめっこする必要はナシ！

何をのせたらおいしいかな？

トッピングに決まりはありません。家にあるもので、マフィンにのせたらおいしそうなものを考えてみてください。親子でアイデアを出し合うのもまた楽しいもの。
左ページの写真は、中央が角切りプロセスチーズ、その上から反時計回りに、ミニトマト&ピザ用チーズ、ソーセージ&コーン、黒ごま、板チョコ、コーン&マヨネーズ。

つけて、のっけて

セルフサービスサンド

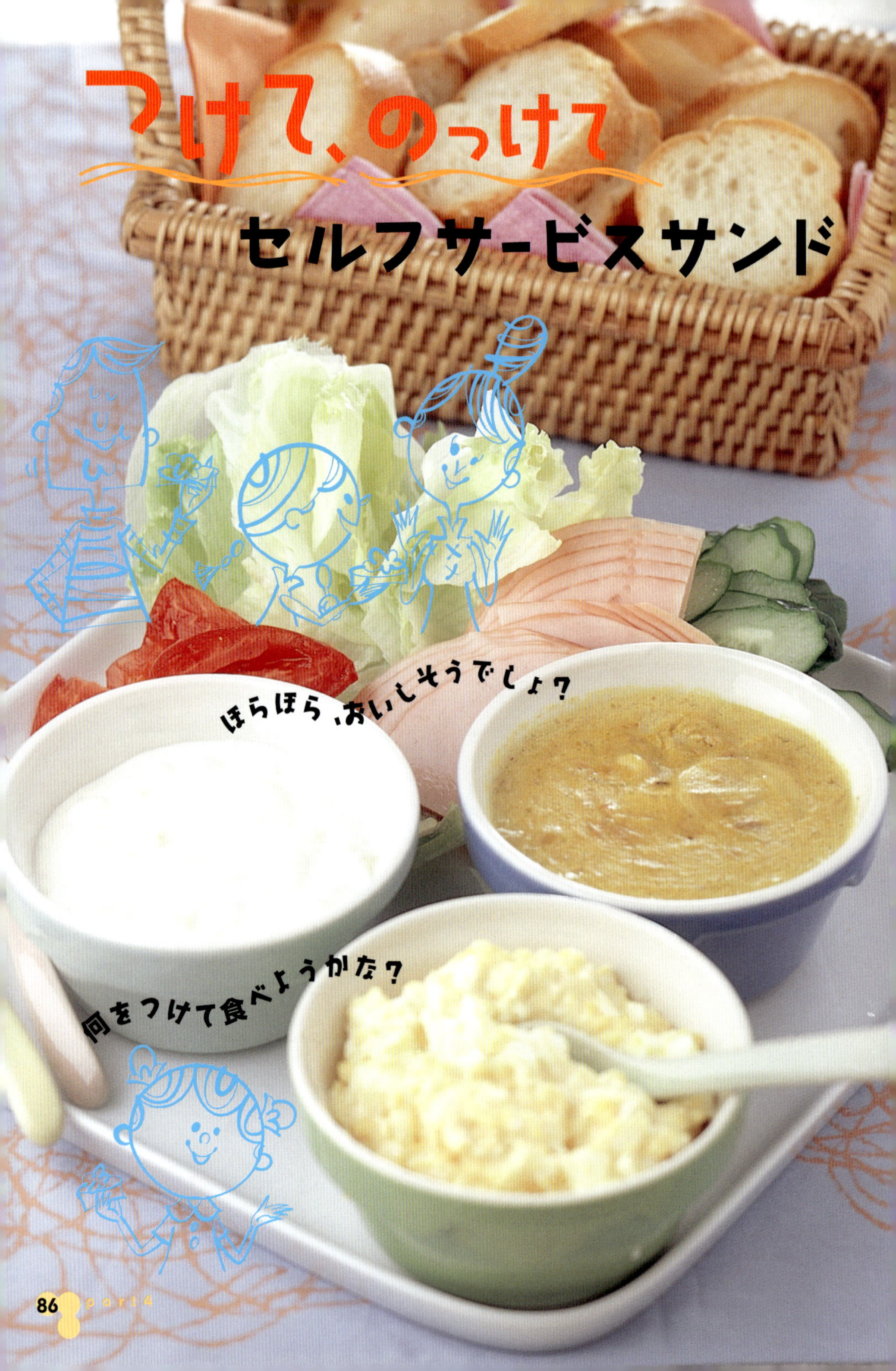
ほらほら、おいしそうでしょ？
何をつけて食べようかな？

休みの日のブランチには、パンと具を別々に用意して、各自好きなものをのせたりはさんだりして食べるスタイルもいいですね。クリームカレーのようにシチューっぽいものをひとつ用意すれば、おかずにもなるし、パンにつけて食べることもできるのでおすすめです。

材料

バゲット…適宜　　好みのペースト…適宜
好みの具…適宜
（トマト、きゅうり、レタス、ハムなど）

作り方

1 具は食べやすく切る。バゲットは薄く切ってトースターで焼く。
2 すべての材料を器に盛りつける。
3 バゲットに好みの具やペーストをのせて食べる。

＊卵ペースト

作り方

1 卵は固ゆでにし、殻をむいて細かく刻む。
2 マヨネーズを加えて混ぜ合わせ、塩、こしょうで味を調える。

＊クリームチーズペースト

作り方

1 クリームチーズをやわらかく練り、パイン缶の汁を入れて好みのかたさにのばす。
2 細かく刻んだパインも混ぜる。

＊クリームカレーペースト

材料

バター…大さじ2
玉ねぎのみじん切り…小さじ1
小麦粉、カレー粉…各大さじ1
牛乳…1カップ
ツナ缶…小1缶
塩、こしょう…各少々

作り方

1 フライパンにバターを溶かして玉ねぎを炒め、小麦粉、カレー粉を加えて炒める。
2 牛乳を加えて混ぜながら加熱し、とろみがついたらツナ缶を入れる。塩、こしょうで味を調える。

混ぜ混ぜして手作りペースト

卵ペーストやクリームチーズペーストは、材料を刻んで混ぜるだけ。混ぜるところは、子どもにお手伝いしてもらってもいいですね。バゲットが小さめなら、直接ペーストをすくって食べてもOK。

えっ、ホットプレートでパスタ!?

すりおろしトマトのナポリタン

たっぷりのスパゲティをフライパンで炒めるのは大変。そんなときこそホットプレートが大活躍です。これなら、野菜もたっぷり入れられるし、子どもたちがすすんでお手伝いしてくれるのもいいところですね。違う味つけでもぜひ作ってみてください。

材料（4人分）
玉ねぎ…1個　ソーセージ…8本
ピーマン…1～2個　オリーブオイル…大さじ1
トマト…3～4個　スパゲティ…300g
塩、こしょう、しょうゆ…各適宜
粉チーズ…適宜

作り方
1 玉ねぎは薄切り、ソーセージは斜め薄切り、ピーマンは輪切りにする。
2 ホットプレートにオリーブオイルを熱し、玉ねぎとソーセージを炒める。わきでピーマンも炒め、ピーマンだけとり出しておく。
3 2にトマトをすりおろしながら加え、塩、こしょう、しょうゆで味を調える。
4 別鍋に塩を入れたたっぷりの湯をわかしてスパゲティをゆで、3に加え混ぜる。
5 ピーマンを戻し入れ、好みで粉チーズをかける。

ケチャップなしでナポリタン!?

トマトケチャップは入れず、生のトマトをすりおろして使うのがミソ。懐かしのナポリタンがぐぐっとおいしく変身します。

味違いで、シーフードスパゲティ

材料（4人分）
シーフードミックス…1袋　玉ねぎ…1個
バター…大さじ2～3　ブロッコリー…1株
水…$\frac{1}{2}$カップ　スパゲティ…300g
塩、こしょう…各少々

作り方
1 ホットプレートにバターを溶かし、薄切りにした玉ねぎとシーフードミックスを炒める。
2 シーフードに8割がた火が通ったら、小房に分けたブロッコリーを加えて水を入れ、ふたをして蒸し焼きにする。
3 ブロッコリーに火が通ったら、塩、こしょうで味を調え、ゆでたスパゲティを加えて混ぜる。

いつもの焼きそばが大変身！　なんだかウキウキしちゃう。

いろんな食べ方楽しもう！

焼きそばバリエーション

いつもの焼きそばも、ちょっと目先を変えると、なんだか楽しくなりませんか？　もちろんわざわざ作るんじゃなくて、ホットプレートで作っておいて、パンにはさみながら食べたり、最後に薄焼き卵やごはんをプラスしてもいいのです。

＊基本の焼きそば＊

材料（4人分）

豚バラ肉…200g
キャベツ、玉ねぎ、にんじん…各適宜
ごま油…大さじ1
焼きそば…4玉
焼きそばソース…適宜

作り方

1 キャベツはざく切り、玉ねぎは薄切り、にんじんはせん切りにする。
2 ホットプレートにごま油を熱し、ひと口大に切った豚バラ肉を炒める。
3 肉の色が変わったら、野菜を加えてさらに炒める。
4 野菜がしんなりしたら、焼きそばを入れて、焼きそばソースで味を調える。

薄焼き卵でくるんと包んで
オムそば

ホットプレートの上の焼きそばを端に寄せ、あいたところに溶き卵を流して焼く。だいたい火が通ったら、焼きそばをのせて包む。

ソース味とパンの組み合わせが◎
焼きそばパン

ドッグパンに、好みでマヨネーズを絞り、焼きそばをはさむ。紅しょうがを添えてできあがり。

そば＋ごはんが不思議においしい
そばめし

焼きそばをへらで細かく刻み、焼きそばの半量程度のごはんを加えて一緒に炒める。かつお節を散らす。

ズバリ答えます!

朝ごはんの悩みQ&A

「もう少し量を食べてほしい」「野菜を食べさせたい」などなど、朝ごはんについていろいろと頭を悩ませている方、多いんじゃないでしょうか。忙しくて充分に手をかけられない分、栄養バランスや食べる量など、どうしても気になってしまうんですよね。でも、ちょっと待って。肩の力を抜いて、もう一度「ニコニコ笑顔の朝ごはん」という基本に立ち返ってみませんか?朝ごはんについてのよくある悩みに、ズバリ奥薗流でお答えします。

Q1 量はそこそこ食べるけれど、同じものしか食べません。栄養バランスは大丈夫でしょうか?

朝ごはんだけで完璧な栄養バランスなんて考えず、飽きるまで同じものだっていいんです。

基本的に朝ごはんはワンパターンでいいと思うのです。作るほうも食べるほうもラクだし。子どもってとことん食べ続けるけど、そのうち飽きるときも来るの。うちもそうでした。

息子は、朝まったく食欲のない子どもだったのですが、あるときサンドイッチにしたら、すごくよく食べました。それで来る日も来る日も調子に乗ってサンドイッチを作りまくったら、2年くらいで飽きましたよ。そしたら、突然「おにぎりがいい」とか言い出して、また来る日も来る日もおにぎり。でも、まあ喜んで食べてるならいいんじゃないでしょうか。

Q2 好き嫌いの多い子どもでも、野菜をおいしく食べられる方法はありませんか？

生でポリポリ食べたり、汁物に入れてやわらかくしたり。ただし、嫌いなものは朝から無理強いせずに。

生で食べられる野菜なら、できるだけシンプルにドーンと出して、手づかみでポリポリ食べさせるというのも、楽しくていいんじゃないかと思います。また、生で食べられない野菜なら、みそ汁やスープに入れてやわらかく煮込んであげるとか。

朝から嫌いなものが食卓に並ぶのは子どももイヤだし、朝から食べなさいと言って目くじら立てるのは親もイヤだと思うので、できたら晩ごはんで、少しずつ食べる練習をするほうがいいんじゃないですかねえ。

16ページ
かぶのディップ

20ページ
手づかみキャベツ

50ページ
レタスとじゃこのさっぱりおじや

Q3 小食なのが悩みです。特に朝は食が進まないようです。どの程度の量を食べればOK？

朝ごはんは、子ども自身が自分の食べる量を知る練習。「たくさん食べさせなくちゃ」とがんばらなくても。

朝はとりあえず、集中して食べられるだけ食べさせてあげたら、ある程度のところで「ごちそうさま」でいいかと思うのです。量というよりは、時間だったり、ごはんに集中している気持ちだったりを目安にするのも手ですね。

特に2～3歳くらいまでの小さな子だったら、一度にたくさんは食べられないのがふつうです。おなかがすいてきたころ、午前中にもう1回、おやつとして軽く食べさせてあげてもいいと思いますよ。

園に行っている子の場合は、お弁当や給食の時間までにおなかがすいてしまうんじゃないかと思うかもしれませんが、それを我慢するのも練習だと思いません？

子ども自身だって、どれくらい食べるのがいいのかなんてわかっていないのですから、自分で自分の食べる量を知ること、それも朝ごはんの役目だと思うのです。

Q4 大人用の朝ごはんを子どもに食べやすくアレンジする方法を教えてください!

数品ある献立は1品にまとめて“ばっかり食べ”に対応。

基本的には、大人と子どもは同じ朝ごはんでいいと思うのです。ただ、子どもはあれもこれもと複数のものを食べるのは苦手なので、大人がどうしてもごはん、おかず、漬け物、みそ汁というような朝食にしたいのであれば、子どもの分は食べやすく1品にまとめてあげるのがいいかもしれませんね。例えば、おかずがあじの干物だったら、身をほぐしてごはんに混ぜておにぎりにするとか、みそ汁の中にごはんを入れて、ワンボウルのおじやにしてあげるとか……。おかずをごはんに混ぜたり、パンにはさんだりすれば、それだけでも食べやすくなると思いますよ。

例えばこんなふうにアレンジ!

17ページ
干物おにぎり

42ページ
トマトオムレツドッグ

60ページ
栄養たっぷり
納豆混ぜ混ぜごはん

Q5

朝から遊び食べをして困ります。
せっかく着替えた服を汚したり……。
なんとかしたい!

「○○しちゃダメ!」と言わずにすむ方法を考えてみて。

うちの息子も遊び食べの常習犯でした。もちろん先に服を着替えたら、汚します。だからよく下着のままとか裸のまま食べさせてました。「汚したらダメ」とか「遊び食べしたらダメ」とか、いちいち注意するのも、朝からだとけっこう疲れます。だから、なるべく自分がニコニコ平気でいられるようにすればいいと思うのです。

下着や裸があんまりだと思うなら、服が汚れないような食べ物にするとか。そういう意味ではおにぎりの朝ごはんはおすすめ。ごはんなら、こぼしてもすぐにとれますから。

Q6

水分をとりたがるけど、
飲み物でおなかがいっぱいになってしまいそう。どうしたらいいの?

お茶や水をある程度飲ませてあげては?

子どもって、大人よりものどがかわきやすい気がします。だから、飲みたがるときは、飲みたいだけ飲ませてあげるほうがいいと私は思うんですよ。うちの子どもたちも、とにかく水分をほしがる時期がありました。水分だけでおなかがふくれてしまうのが心配で、「どうせ飲むなら、スープとかみそ汁とか、そういうものを飲めば?」と言ったものです。でも、実際はそれじゃダメらしく、ゴクゴクッと飲めるお茶みたいなのがいいって言うんです。

考えてみたら子どもって、寝てる間にずいぶん汗をかいていたりすると思いません?　そういう意味でも、ある程度飲ませてあげるほうがいいと思います。ただ、その場合、牛乳とかジュースじゃなくてお茶とか水とかにしたいですね。

奥薗壽子の 子どもの朝ごはん

毎日簡単! 元気レシピ

Breakfast
For
Kids

著者プロフィール

1962年、京都生まれ。
料理嫌いの母親に育てられたおかげで、小学1年生にして一家の台所をまかせられる。素材を煮たり、焼いたり、揚げたりすることでおこる「化学的な変化」に興味がつきず、常に「おいしさ」や「料理の効率」に対して研究心をもって取り組んでいる類い稀な料理研究家。
1999年、家庭の中心、台所をとりしきっている人たち「台所奉行」をネットワークでつないだ「台所奉行の会」を発足、現代の台所事情や主婦の考え方などのアンケートを行ったり、料理教室を開催、「食」に関心の高い人々を結んでいる。
ズボラでありながら、むしろ潔癖とも言えるくらい「食の本質」に迫る手作り料理に人気が高く、テレビ・雑誌・講演会・料理教室と八面六臂の活躍。家庭では一男一女の母。
主な著書に、『奥薗壽子の子どものごはん』『奥薗壽子の子どものおやつ』『奥薗壽子の子どものお弁当』(金の星社)、『子育ておやつわたし流』『子育てごはんわたし流』『もっと使える乾物の本』『ふだん着の虫草あそび』(農文協)、『自炊をしよう!』『奥薗壽子のラクうま手作りパン』(主婦の友社)、『おくぞの流 簡単激早ヘルシー野菜おかず271』(講談社)、『ふ・ふ・ふのお麩レシピ』(創森社)、『ズボラ人間の料理術』『ズボラ人間の料理術　レシピ集』『ズボラ人間の料理術　超入門』『ズボラ人間の料理術　定番レシピ』『3時間睡眠で、なんでもできる!』(サンマーク出版)など多数。

ホームページアドレス
http://www.nabekama.jp

料理・文：奥薗壽子
デザイン：濱田悦裕（fat's）
撮影：向村春樹（will）
撮影アシスタント：中西さやか
企画・編集：片岡弘子、清水理絵、滝沢奈美（will）
DTP：津吹雅子（will）
イラスト：さとうみどり、新田岳、あらきあいこ
校正：村井みちよ

初 版 発 行 2004年 7 月
第14刷発行 2007年 2 月

著者　奥薗壽子
発行所　株式会社 金の星社
〒111-0056 東京都台東区小島1-4-3
TEL. 03(3861)1861
FAX. 03(3861)1507
振替 00100-0-64678
http://www.kinnohoshi.co.jp

印刷　広研印刷株式会社
製本　東京美術紙工
NDC596 p96 21cm ISBN978-4-323-07049-0

Published by KIN-NO-HOSHI SHA,Tokyo,Japan